'A Chathail, tá mé ag dul amach chun tuilleadh péinte a cheannach.'

Tógann Cathal an scuab agus tumann sé í sa phéint.

Leagann an buachaill beag an pota
péinte buí.

Doirteann sé an phéint ar fud
an urláir.

Glanann Cathal an phéint den urlár
le seanpháipéar nuachta.

Cuimlíonn sé an phéint den
chathaoir le héadach.

Ar deireadh, níonn sé an t-urlár
agus an scuab phéinte.

Tagann Daidí ar ais agus fiafraíonn
sé de an raibh sé go maith.

'Bhí, a Dhaidí. Mar a fheiceann tú,
tá gach rud go deas glan.'

'Feicim é sin, a mhaicín, ach tá dath
buí ar d'éadan.'

Foras na Gaeilge

Faigheann Leabhar Breac cúnamh airgid ó Fhoras na Gaeilge

Faigheann Leabhar Breac cúnamh airgid ón gComhairle Ealaíon

Teideal i gCatalóinis: *Pintant la casa*
© Enric Lluch Girbés, 2011
    Leagan Gaeilge © Leabhar Breac, 2012
© Ealaín: Francisco Parreño Sempere, 2011
© Edicions Bromera
    Polígon Industrial 1
    46600 Alzira (An Spáinn)
    www.bromera.com
Dearadh: Pere Fuster
Priontáil: Blauverd
An Chéad Eagrán: 2013
ISBN: 978-0-898332-74-2